托马斯和朋友动画故事乐园

双头火车麦帝迈克

根据动画片《托马斯和朋友》改编

D1473553

童趣出版有限公司编译　人民邮电出版社出版

北京

夏天伴着温暖的海风来到了多多岛，小岛上美丽的风景引来了好多好多游客，专门运客人的火车们都忙不过来了。

于是，岛上又添了一列新火车，帮着把游客送到山上的露营地。

托马斯咔嚓咔嚓开过来，兴奋地凑近这个新火车，想要跟他行个见面礼。可是他从这边看到那边，惊讶得瞪圆了眼睛，张大了嘴——新火车有两张脸。

"你……你们好！"托马斯小心翼翼地打招呼，"我叫托马斯，请问你……你们的名字是什么？"

"我叫麦帝！"脑门儿上长着一撮卷毛的蒸汽机车呼哧呼哧地说。

　　"我叫迈克！"脸上长着雀斑的蒸汽机车扯着嗓门儿喊。

　　"我们在一起，就是麦帝迈克！"

麦帝迈克是新火车，从来没有上过路，更没见识过山路是什么样子。麦帝和迈克都有些担心接下来的旅行。

"看清你们的方向，沿着铁轨走，它会领你们到那儿的。"托马斯吹响汽笛，为麦帝迈克打气。

游客们兴高采烈地登上火车。

等到大家都坐好，麦帝迈克出发了。他们咔嚓咔嚓，咣当咣当，沿着铁轨飞奔在山野峻岭之间。刚开始，一切看起来都不错。

可是没多久，麦帝和迈克就遇上麻烦了。

每次经过岔路口，迈克都向一边推，而麦帝却根本不管迈克，使劲把车厢往另一边拽，他们都认为自己那条路比较好走。

　　每一次，都是麦帝取得胜利，因为他在前面！

就这样，每过一个路口，车厢就被麦帝和迈克弄得左摇右摆、前后晃荡。

　　乘客们洒了茶，飞了面包，自己也被颠得够呛！

　　但麦帝迈克并没有停下。

走了好几个岔路口之后，麦帝迈克开到了一条死路上——前方有很多大石头。

　　"都是你的错！"迈克火冒三丈，边说边推麦帝。

　　"胡说，都是你的错！"麦帝毫不示弱，边埋怨边拽迈克。

麦帝和迈克推推搡搡，很快就碰到了车厢。

乘客们纷纷下车，可是谁也劝不了麦帝和迈克。

麦帝和迈克的力气越使越大，结果一不小心把车厢撞出了铁轨。哐当一声，吓得麦帝和迈克再也不敢说话、不敢动。

麦帝和迈克都觉得很惭愧。

正当他们不知道应该怎么办的时候，好心的乘客们走过来帮忙，一起推车厢。

"一、二、三，嘿唷！"大家喊着号子，一起用力，把车厢推回到铁轨上！

看到乘客们的努力，麦帝和迈克同时想出了一个好主意。

　　"如果我们齐心协力。"麦帝呼哧呼哧地大声喊。

　　"就一定能把堆在铁轨上的大石头都推开。"迈克补上了后半句。

　　就这么决定了，麦帝迈克马上开始干！

麦帝和迈克使劲地推啊推，扫啊扫……一点儿一点儿地将石头从铁轨上移开。过了好半天，铁轨终于干净得和别的路一模一样了。

　　乘客们都欢呼起来！现在他们要做的只是找到去营地的路。

　　可是现在应该怎么走呢？

麦帝和迈克想起了托马斯讲的话。

"看清你们要去的方向。"麦帝激动地说。

"铁轨会领你们到那儿的。"迈克吹着汽笛响应着。

麦帝迈克，咔嚓咔嚓，重新开动起来。没过多一会儿，他们就到达了露营地。

"只要我们齐心协力，"麦帝呼哧呼哧地说。

"就能成为真正有用的火车！"迈克自豪地吹响了汽笛。

快看，麦帝迈克意见不统一，他们都生气了，脸都皱成了一团！那么，他们高兴了，他们难过了，他们肚子饿了，他们累了，会是什么样的表情呢？拿起你的笔画出来！说说看，你最喜欢看到小火车的哪种表情呢？

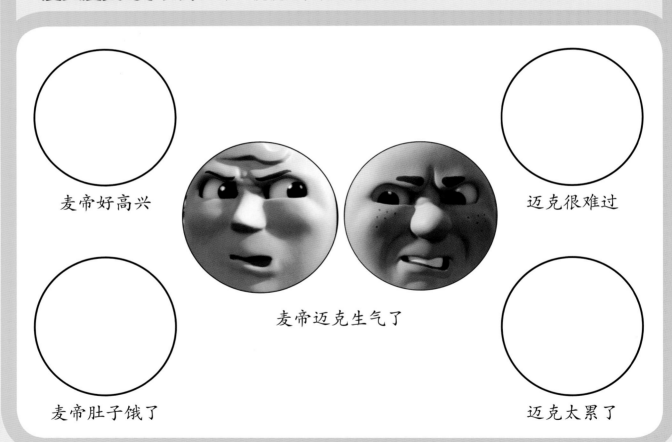

麦帝好高兴

迈克很难过

麦帝迈克生气了

麦帝肚子饿了

迈克太累了

新火车交朋友

根据动画片《托马斯和朋友》改编

星期一的早上，胖总管向大家宣布了一个消息：又有新的火车头到达多多岛了，他的名字叫纳维尔。

　　"我希望他同我们一样，也是蒸汽机火车！"托马斯吹着汽笛说。

调皮的艾瑞和伯特正一边打闹着，一边往码头上开。他们看见新来的火车纳维尔静静地停在那里，害羞得都不敢跟他们打招呼，就想逗逗他。

他们咔嚓咔嚓开过去，招呼也不打一个，就把纳维尔推进了车棚里。

两个柴油机火车头开心得咯咯笑，可怜的纳维尔却觉得很不高兴，可又不好意思说什么。

这时候，托马斯正好从车棚旁边的铁轨上经过。

他看到纳维尔跟艾瑞、伯特挨得那么近，又听到他们哈哈大笑，还以为纳维尔在跟艾瑞、伯特打打闹闹开玩笑呢。

"真奇怪，"托马斯想，"纳维尔竟然跟柴油机火车交朋友。"

托马斯边走边想，一会儿就到了纳普福特站。他觉得有必要提醒一下其他的蒸汽机火车。

"我们可得对那个新火车小心一点儿，"托马斯对爱德华和詹姆士悄悄地说，"我看见他和艾瑞、伯特打打闹闹。"

很快，纳维尔喜欢跟柴油机火车做朋友的事儿就传遍了整个多多岛。

"新来的火车头不喜欢蒸汽机火车，"培西遇到艾蜜莉，又专门叮嘱她一遍，"我们最好离他远一点儿。"

就在这个时候，胖总管给托马斯安排了一项紧急任务。

"那边的桥塌了！"他扯着嗓门儿大声说，"你必须通知所有的火车，注意路标，不要越过禁行线。"

胖总管的话还没说完，托马斯就冲了出去——不远处有汽笛声响起，有火车朝这边开过来了。

　　"我得去提醒他们。"托马斯大叫着。

　　可是当他看到开过来的是纳维尔时，却把自己的重要任务忘得一干二净了。

纳维尔正拉着安妮咔嚓咔嚓往前走——安妮可是托马斯的车厢啊！

"你好！"纳维尔鼓起勇气，微笑着向托马斯问好。

可是托马斯板起脸，撇着嘴，根本不想搭理他。

可怜的纳维尔只能垂头丧气地开走了。

这时候，老托比咣当咣当开过来，带来了一个天大的消息："沙弟看见了艾瑞和伯特在码头上欺负纳维尔，纳维尔害怕得不知道怎么办。"

　　"柴油机火车根本不是纳维尔的朋友！"托马斯这才明白过来，是自己错怪了纳维尔。

突然，托马斯想起了纳维尔前进的方向——他正朝着断桥开过去呢！

　　"我必须拦住他。"托马斯紧张得满脸大汗，赶紧去追纳维尔。

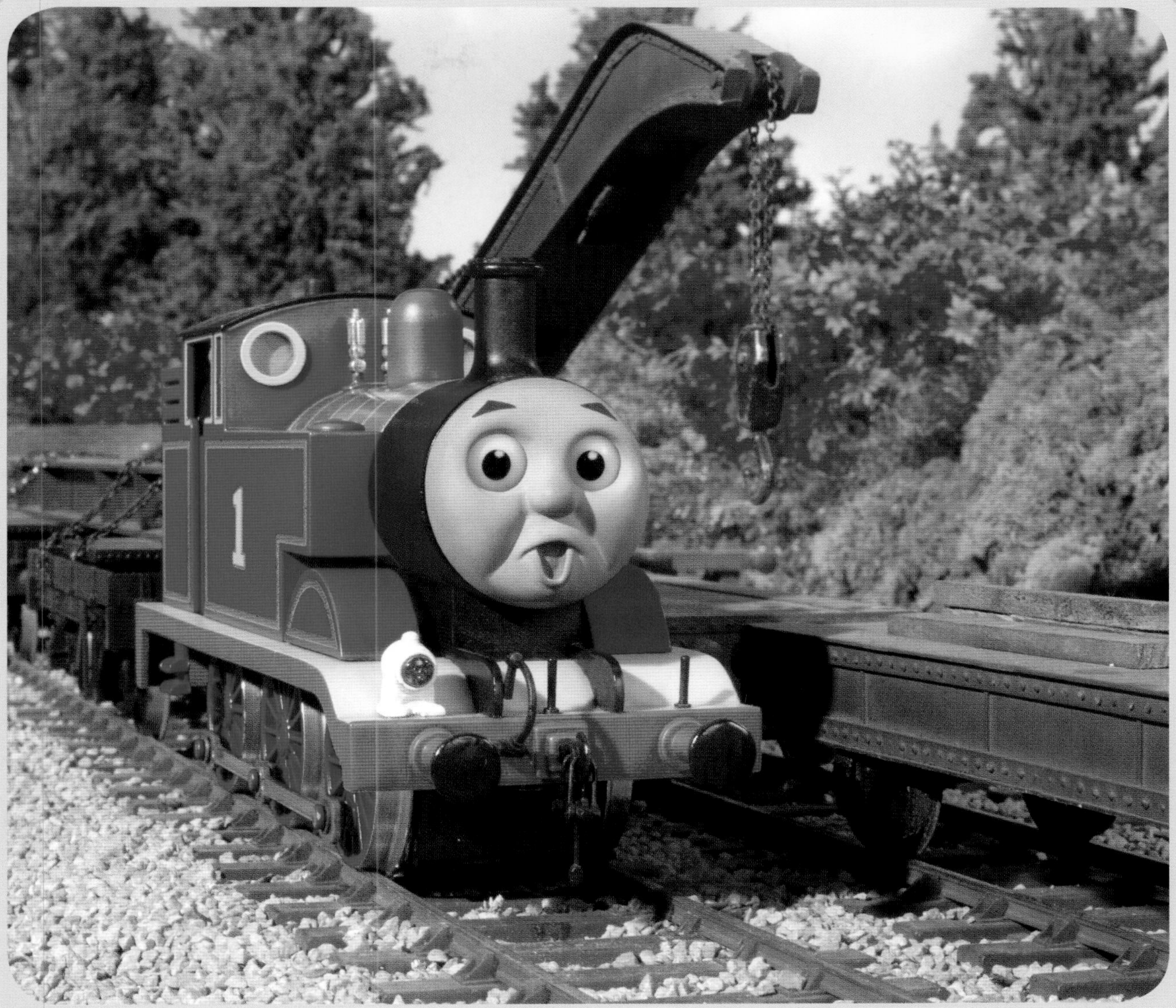

纳维尔正在铁轨上飞速前进，他想早一点儿到达目的地。

突然，一排禁行标志出现在纳维尔眼前，他赶忙刹车。但是一切都太晚了，他的前轮咣当咣当地冲上断桥，停在了上面。

纳维尔一动也不敢动，就怕一不小心压断了桥，滚到河里去。

托马斯一路快跑，正好看见纳维尔冲上断桥，心里顿时咯噔了一下。看到纳维尔停下来，他才松了一口气。

托马斯知道，这都是他的错！他必须把纳维尔拉回来。

可是桥正咯咯响着，很快就要全部塌下去了。

托马斯也很害怕，但他没有跑掉！

托马斯小心翼翼地靠近纳维尔，然后用钩子勾住安妮的尾巴，再慢慢地、稳稳地一步一步往后退。

　　很快，纳维尔就被拖回到轨道上来。

　　再过一会儿，纳维尔就从断桥上退下来了。

　　最后，托马斯一使劲儿，纳维尔和安妮都离危险的断桥远远的了！

"我应该告诉你这里很危险的。"托马斯气喘吁吁地说，"可是……我真的很抱歉，对不起！"

　　"没有关系，托马斯！" 纳维尔微笑着望了望托马斯。

　　从这以后，托马斯和纳维尔就成了最好的朋友！

小火车游戏屋

小火车全家福

多多岛来了新火车，托马斯有了新朋友，胖总管给他们拍了张全家福，看看缺哪块，想一想，连一连，把它们通通都补上！

小朋友，再把自己也画上吧，跟火车们交个好朋友！